P9-BJG-529

图书在版编目(CIP)数据

奶奶的护身符 / 刘旭恭著绘. — 武汉：长江少年儿童出版社, 2018.7
ISBN 978-7-5560-8358-9

Ⅰ.①奶… Ⅱ.①刘… Ⅲ.①儿童故事 – 图画故事 – 中国 – 当代 Ⅳ.①I287.8

中国版本图书馆CIP数据核字(2018)第121906号
著作权合同登记号：图字 17-2015-320

奶奶的护身符

刘旭恭 / 文·图
责任编辑 / 王仕密　傅一新　张艳艳
装帧设计 / 江雅璇　美术编辑 / 邵　音
出版发行 / 长江少年儿童出版社
经销 / 全国新华书店
印刷 / 恒美印务（广州）有限公司
开本 / 889×1194　1/16　2.5印张
版次 / 2018年7月第2版第3次印刷
书号 / ISBN 978-7-5560-8358-9
定价 / 48.00元

策划 / 海豚传媒股份有限公司
网址 / www.dolphinmedia.cn　邮箱 / dolphinmedia@vip.163.com
阅读咨询热线 / 027-87391723　销售热线 / 027-87396822
海豚传媒常年法律顾问 / 湖北珞珈律师事务所　王清　027-68754966-227

奶奶的护身符

刘旭恭/文·图

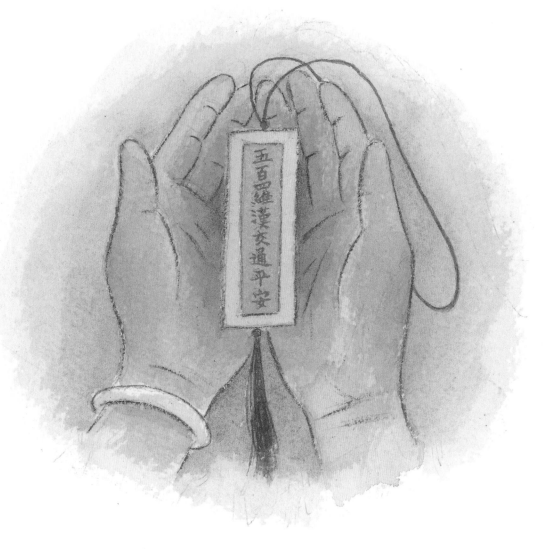

长江出版传媒 | 长江少年儿童出版社

奶奶走了很远很远的路，到山上的庙里求了一张平安符。

回到家，奶奶帮孙子带上平安符，只见上面写着："五百罗汉交通平安"。

从此以后，小男孩无论去哪里，

都要戴着平安符。

五百罗汉也总是跟在小男孩的身边，时时刻刻保护着他。

不知不觉，小男孩三岁了。有一天，他到山上玩耍，一不小心掉下了山崖。五百个罗汉手拉着手，结成了一张大网，跳下山崖……小男孩终于平安了，三十六位罗汉却摔下了深深的山谷。

　　六岁的时候，小男孩坐飞机出国。高高的天
空中突然刮起了狂风，剩下的四百六十四位罗汉
悄悄地溜出去抵挡乱流。

　　飞机总算顺利降落，七十二位罗汉却被狂风
吹走了。

九岁的时候，小男孩第一次坐船出海。

　　那天晚上，可怕的海啸汹涌地席卷了整个海面。三百九十二位罗汉跳下大海，高高地举起了小船。小男孩和所有的乘客们都安全到达了岸边，却有数不清的罗汉被海浪卷走了。

这天夜里，等小男孩睡着以后，最后的十位罗汉围在一起商量起来。

　　大师兄叹着气说："真希望我们可以再多一些力量和时间啊。"

　　红红的烛光在风中摇摇摆摆，其他的罗汉们一句话也说不出来。

　　日子一天天过去，十位罗汉更加团结了。他们
时时刻刻保护着小男孩，一有空就努力地练功，好
让自己变得更加强壮。
　　小男孩也渐渐地长大了。

　　十二岁那年，小男孩独自坐火车到远方去。半路上，列车突然冲出了铁轨。十位罗汉连忙飞身跳出车外，用尽全身的力气挡住了倾斜的火车。

　　很久很久，火车终于停住了。翻倒的车厢里冒出了
阵阵浓烟，罗汉们连忙挺身围住了昏迷的小男孩。
　　凶猛的大火很快就吞噬(shì)了九位师兄弟。大师
兄伤心极了，但是，他苦苦地支撑着，不让自己倒下。

这时，小男孩终于清醒过来。

他张开双眼，只见最后的一个罗汉奄奄一息。

小男孩想都没想，就抱起罗汉冲出了车外。

"真好，终于长大了呀！"大师兄在心中默默地想着。

然后，他微微一笑，用最后的一丝力气举起双手，对着小男孩鞠了一躬，就慢慢地化成灰烬，飘向了天空。

小男孩的眼泪一下子流了出来。

小男孩解下平安符，轻轻地抚摸着。很久很久，他遥望着远方微微发亮的天空，独自踏上了旅程……

感谢所有的真心

刘旭恭/文

好几年前，我在朋友家看见一张平安符，上面写着"五百罗汉交通平安"。那时，我的脑海里就浮现出一幅画面：当平安符的主人遭遇磨难与困境，五百个罗汉挺身而出，化解灾难！

哇，这是个多棒的故事啊！

兴奋之余，我开始思考画面的造型和故事情节。没想到，尝试着画了几张初稿之后，我很快就遇上了麻烦：故事该怎么结束呢？苦苦思考仍然毫无头绪的情况下，我只好停了下来。

时间过了好几年。有一天，我正在看日本著名漫画故事《哆啦A梦》（又名《机器猫》）的完结篇——

哆啦A梦要回未来世界的时候，心里却放不下好朋友大雄，担心他被人欺负。老受欺负的大雄为了让哆啦A梦放心，就去找胖虎挑战，结果却被打得趴在地上。坚强的大雄爬起来，继续面对强大的胖虎。最终，讨厌的胖虎落荒而逃，再也不敢欺负大雄。

哆啦A梦看到这一切，连忙跑过来和大雄紧紧拥抱，感动得大哭。

第二天清晨。大雄一觉醒来，温暖的阳光从窗户上洒进房间，四处一片宁静。他拉开抽屉，却发现什么都没有——哆啦A梦已经乘着时光机，安心地离开了朋友们……

我的眼泪夺眶而出。

我在想，当一个人慢慢地长大，终究还是要独自面对一切的。那么多无私呵护你和陪伴你的人，也早晚都会离去，最终只剩下自己。那么，我们要怎样才能长大呢？小时候曾经受到的保护和关爱，是不是能让我们学会感恩和回报？学会乐于助人和勇敢前行？

就这样，我终于找到了五百罗汉故事的结尾。

当画稿完成，开始上色的时候，我先选择了彩色墨水，采用了大尺寸的纸张，期望出版的时候缩小印刷，更好地表现作品内容。不过，完成将近三分之二的时候，我又一次放下了画笔——我突然觉得自己的画作糟透了。

　　为了完成自己心目中的这部"旷世巨作"，我大胆放弃了已经接近完稿的彩图，重新选择了较小尺寸的纸张，改用亚克力颜料上色。这一次，我静静地思考着故事情节，一张一张地画，力求捕捉细节，完美表现故事的内涵。

　　完稿的那天，我慎重地带上自己的画作，到彩印商店装订成册。回家的时候，我站在大街的十字路口，突然产生了一种独自踏上征程、勇敢前行的勇气——巧合的是，这也正是故事的结尾！

　　感谢所有的朋友，这本图画书的出版，是很多人帮助与付出的成果。而这一次创作的经历，对我来说就像是一次重新出发！

　　有时候，回想自己的人生，总是得之于人者太多，而出之于己者太少。我想起年迈的奶奶上山求符，嘴里念叨的都是儿女子孙平平安安，所付出的都是为别人，付出的却总是自己；爸爸、妈妈、老师、朋友，也都在默默无私地奉献和付出，从不吝惜最真诚的温暖和鼓励，更不求回报。

　　人的一生中，不知道要受到多少人的支持和帮助，才能平安长大。但愿我们都能好好珍惜身边的人，也都能尽自己所能去关爱别人。

　　感谢所有的真心，无论看得见或者看不见的。

刘旭恭

　　1973年出生于中国台湾，热爱电影和漫画，热爱动物，热爱大自然。目前从事插画、绘本创作及教师等工作。作品曾获得"信谊幼儿文学奖"第十四届佳作奖及第十八届首奖，入选2006年"好书大家读"年度最佳少儿读物、"九歌童话选"等。著有《好想吃榴莲》《请问一下，踩得到底吗？》等图画书，曾为《小壁虎不哭》《小红》等书插画。